Y0-BZZ-990

Thierry Roussillon

Fête des crêpes !

Photographies de Jean Bono

Stylisme d'Emmanuel Renault

ISBN : 978-2-7540-06545
Dépôt légal : janvier 2008
Imprimé en France - L45257
Édition : Véronique Marta
Conception graphique : KUMQUAT
Photos © Jean Bono
Pictogramme © Pascale Etchecopar

Nous nous efforçons de publier des ouvrages qui correspondent à vos attentes et votre satisfaction est pour nous une priorité. Alors, n'hésitez pas à nous faire part de vos commentaires :

Éditions First
2 ter, rue des Chantiers
75005 Paris – France
e-mail : firstinfo@efirst.com
Site internet : www.efirst.com
Pour contacter l'auteur : thierryroussillon@yahoo.fr

Sommaire

Six recettes de pâtes à crêpes

Vous pouvez bien sûr acheter en grande surface des crêpes ou des galettes toutes faites mais nous vous conseillons de mettre la main... à la pâte ! Voici six recettes pour les faire à la maison.

Pâte à la farine de sarrasin

Pour 20 galettes environ :
Versez 250 g de farine de sarrasin en fontaine dans une jatte. Incorporez-y 2 œufs battus, 2 cuillerées à soupe d'huile et 1 pincée de sel. Ajoutez 25 cl d'eau et 10 cl de lait petit à petit. Mélangez bien et laissez reposer 30 minutes. Faites cuire vos galettes dans une poêle beurrée, comme on fait cuire des crêpes.

Crêpes au lait de coco

Pour 20 crêpes :
Deux heures à l'avance : dans une jatte, fouettez 240 g de farine et 50 cl de lait de coco, jusqu'à l'obtention d'une préparation fluide et sans grumeaux. Ajoutez alors 4 œufs préalablement battus et 1 pincée de sel. Versez 50 g de beurre fondu et 1 cuillerée à soupe de bière. Mélangez encore : la pâte doit être nappante, un peu comme une crème anglaise. Si vous la trouvez trop épaisse, rajoutez un peu de lait. Couvrez le saladier d'un torchon et laissez reposer la pâte pendant 2 heures.
Mélangez la pâte, faites fondre un morceau de beurre dans une poêle posée sur feu vif. Versez alors une louche de pâte pour en recouvrir le fond. Laissez-la cuire 2 à 3 minutes, puis retournez-la (faites-la sauter : c'est plus spectaculaire) et faites cuire la crêpe de l'autre côté. Procédez ainsi jusqu'à épuisement de la pâte.

Crêpes au lait de soja

Procédez exactement comme pour les crêpes au lait de coco en remplaçant le lait de coco par du lait de soja.

Crêpes de froment salées

Pour 20 crêpes :
Versez 250 g de farine de froment en fontaine dans une jatte. Incorporez-y 3 œufs battus, 2 cuillerées à soupe d'huile et 1 pincée de sel. Ajoutez 50 cl de lait petit à petit. Mélangez bien et laissez reposer 30 minutes.
Faites cuire vos crêpes dans une poêle beurrée.

Crêpes de froment sucrées

Pour 20 crêpes :
Versez 250 g de farine de froment en fontaine dans une jatte. Incorporez-y 3 œufs battus, 2 cuillerées à soupe d'huile, 2 cuillerées à soupe de sucre, 1 cuillerée à soupe d'extrait de vanille (ou de rhum, etc.) et 1 pincée de sel. Ajoutez 50 cl de lait petit à petit. Mélangez bien et laissez reposer 30 minutes. Mélangez la pâte, faites fondre un morceau de beurre dans une poêle posée sur feu vif. Versez alors une louche de pâte pour en recouvrir le fond. Laissez-la cuire 2 à 3 minutes, puis retournez-la (faites-la sauter : c'est plus spectaculaire) et faites cuire la crêpe de l'autre côté. Procédez ainsi jusqu'à épuisement de la pâte.

Crêpes au lait d'amande sucré

Procédez exactement comme pour les crêpes au lait de coco en remplaçant le lait de coco par du lait d'amande que vous aurez pris soin d'additionner de 2 cuillérées à soupe de sucre.

Galettes de sarrasin œuf, jambon, fromage

bon marché • facile à réaliser • préparation : 10 min • cuisson : 25 min • pour 6 personnes

1 planche à découper
1 couteau bien aiguisé
1 grande poêle
1 spatule

6 galettes de sarrasin (voir recette p. 4)
6 œufs
6 tranches de jambon blanc
200 g de fromage râpé
100 g de beurre
sel
poivre

1 Découpez le jambon en lanières.

2 Posez la poêle sur feu moyen et faites-y fondre un peu de beurre.

3 Dépliez la galette et déposez-la dans la poêle. Saupoudrez de fromage, laissez fondre, puis ajoutez quelques lanières de jambon et cassez 1 œuf par-dessus. Salez légèrement et poivrez. Quand le blanc vous semble suffisamment cuit, utilisez une spatule pour replier les bords de la galette vers le centre, en faisant attention de ne pas « casser » le jaune d'œuf.

4 Servez immédiatement. Répétez l'opération pour les autres galettes.

variante

Vous pouvez réaliser ces crêpes en ajoutant de petits champignons blancs émincés.

truc de cuisinier

Variez le temps de cuisson pour obtenir une crêpe plus ou moins croquante ou un œuf plus ou moins cuit.

Galettes de sarrasin à l'andouille de Guéméné

bon marché • facile à réaliser • préparation : 10 min • cuisson : 30 min • pour 6 personnes

1 planche à découper
1 couteau bien aiguisé
1 grande poêle
1 spatule

6 galettes de sarrasin (voir recette p. 4)
1 botte d'oignons nouveaux
18 fines tranches d'andouille de Guéméné
24 tomates cerises
200 g de fromage râpé
100 g de beurre
sel
poivre

1 Pelez les oignons et émincez-les finement. Découpez en deux les tomates cerises.

2 Posez la poêle sur feu moyen et faites-y fondre un peu de beurre.

3 Dépliez la galette et déposez-la dans la poêle. Parsemez-la d'un peu d'oignons émincés. Comptez 1 minute de cuisson, puis saupoudrez de fromage, laissez fondre avant d'ajouter 3 tranches d'andouille et 8 moitiés de tomates cerises. Salez légèrement et poivrez. Comptez encore 3 minutes de cuisson, puis repliez la galette en demi-cercle. À l'aide de la spatule écrasez la galette légèrement.

4 Servez immédiatement. Répétez l'opération pour les autres galettes.

variante

Si vous aimez, vous pouvez remplacer les tranches d'andouille par de l'andouillette finement tranchée.

truc de cuisinier

Pour une texture différente, faites revenir dans une poêle à part vos tranches d'andouille, avant d'en garnir les galettes.

Crêpes au lait de coco et poulet au curry

coût moyen • assez facile à réaliser • préparation : 40 min • cuisson : 35 min • pour 6 personnes

1 planche à découper
1 couteau bien aiguisé
1 sauteuse

6 crêpes au lait de coco (voir recette p. 5)
4 escalopes de poulet
3 oignons
1 cuil. à soupe de pâte de curry
1 filet d'huile d'arachide
1 petite boîte de concentré de tomate
1 concombre
3 branches de coriandre
sel

1. Émincez les escalopes de poulet en lanières. Pelez les oignons et hachez-les. Lavez la coriandre et ciselez-la. Épluchez le concombre et coupez-le en petits bâtonnets.

2. Dans une sauteuse, faites chauffer l'huile avec la pâte de curry. Faites-y revenir les oignons pendant 5 minutes, puis ajoutez le poulet. Faites-le bien dorer pendant 10 minutes.

3. Ajoutez alors le concentré de tomate. Prolongez la cuisson 5 minutes. Salez et laissez tiédir.

4. Garnissez vos crêpes de la préparation au poulet, ajoutez des bâtonnets de concombre, saupoudrez de coriandre et repliez la crêpe. Dégustez tiède.

variante

Apportez un peu de croquant à vos crêpes en ajoutant à la garniture quelques cacahuètes grossièrement concassées.

truc de cuisinier

Au moment de la cuisson du poulet, vous pouvez ajouter un peu d'eau, si cela vous paraît nécessaire.

Crêpes au lait de coco et gambas au gingembre

coût moyen • assez facile à réaliser • préparation : 40 min • cuisson : 35 min • pour 6 personnes

1 planche à découper
1 couteau bien aiguisé
1 sauteuse
1 râpe pour le gingembre

6 crêpes au lait de coco (voir recette p. 4)
24 gambas
3 oignons
1 filet d'huile d'arachide
1 concombre
1 bouquet de menthe fraîche
3 branches de coriandre
100 g de beurre
sel

1 Versez l'huile au fond d'une sauteuse, faites-y revenir les gambas avec le gingembre râpé pendant 3 minutes de chaque côté. Laissez-les refroidir et décortiquez-les. Conservez l'huile de cuisson.

2 Pelez les oignons et hachez-les. Lavez la coriandre et ciselez-la. Épluchez le concombre et coupez-le en petits bâtonnets.

3 Dans la sauteuse que vous avez utilisée pour la cuisson des crevettes (et dans la même huile), faites revenir les oignons pendant 5 minutes.

4 Garnissez vos crêpes des différents ingrédients préparés, ajoutez des bâtonnets de concombre, saupoudrez de coriandre et repliez la crêpe. Dégustez tiède.

variante

Ajoutez un peu de menthe fraîche ciselée à votre garniture, pour la parfumer différemment.

truc de cuisinier

Au moment de la cuisson des crêpes, ne les laissez pas trop longtemps dans la poêle, afin qu'elles ne deviennent pas cassantes au moment de les replier.

Galettes de sarrasin à la saucisse de Morteau et aux noix

bon marché • facile à réaliser • préparation : 10 min • cuisson : 30 min • pour 6 personnes

1 casserole
1 planche à découper
1 couteau bien aiguisé
1 grande poêle - 1 spatule

6 galettes de sarrasin (voir recette p. 4)
3 grosses tomates
200 g de comté râpé
100 g de cerneaux de noix décortiqués
2 saucisses de Morteau
100 g de beurre - sel - poivre

Portez une casserole d'eau à ébullition et faites-y cuire les saucisses de Morteau pendant 20 minutes. Égouttez-les et découpez-les en rondelles. Découpez les tomates en cubes.

Posez la poêle sur feu moyen et faites-y fondre un peu de beurre.

Dépliez une galette et déposez-la dans la poêle. Parsemez de fromage râpé. Comptez 2 minutes de cuisson, puis ajoutez quelques cubes de tomates, quelques rondelles de saucisse et quelques cerneaux de noix. Salez et poivrez. Comptez encore 3 minutes de cuisson, puis repliez les bords de la galette vers le centre afin d'obtenir un joli rectangle.

Servez immédiatement. Répétez l'opération pour les autres galettes.

Galettes de sarrasin au poulet et à l'estragon

bon marché • facile à réaliser • préparation : 10 min • cuisson : 25 min • pour 6 personnes

1 couteau Économe
1 planche à découper
1 râpe à légumes - 1 couteau
1 saladier - 1 sauteuse - 1 grande poêle

6 galettes de sarrasin (voir recette p. 4)
200 g de blanc de poulet
6 carottes - 60 g de noisettes
1 poignée de raisins secs
4 branches d'estragon
100 g de beurre - huile d'olive - vinaigre balsamique - sel - poivre

Découpez les blancs de poulet en lanières. Pelez les carottes et râpez-les. Salez et poivrez les morceaux de poulet et faites-les revenir dans un peu d'huile d'olive.

Dans un saladier, rassemblez les carottes, les morceaux de poulet, les raisins secs, les noisettes et l'estragon ciselé. Assaisonnez d'huile d'olive et de vinaigre balsamique, salez et poivrez. Mélangez bien.

Dépliez les galettes, garnissez-les du mélange précédent. Roulez-les en forme de cigare.

Posez une poêle sur feu moyen et faites-y fondre un peu de beurre. Faites-y revenir les galettes pour les faire dorer.
Servez immédiatement.

Crêpes au jambon roulées gratinées au four

bon marché • assez facile à réaliser • préparation : 30 min • cuisson : 50 min • pour 6 personnes

1 poêle - 1 casserole
1 planche à découper
1 couteau - 1 cuillère en bois
1 plat à gratin

12 crêpes de froment salées (voir recette p. 5)
6 tranches épaisses de jambon blanc
12 gros champignons de Paris
50 g de beurre - 1 filet d'huile
sel - poivre

Pour la béchamel :
60 g de beurre
60 g de farine
60 cl de lait - 3 jaunes d'œufs
150 g de fromage râpé
1 pincée de noix de muscade râpée

1. Nettoyez les champignons en retirant la partie terreuse des pieds et en les frottant dans un linge humide. Émincez-les finement. Faites fondre le beurre dans une poêle et faites-y sauter les champignons pendant 10 minutes. Coupez le jambon en dés et ajoutez-le dans la poêle. Prolongez la cuisson 2 minutes encore.

2. Préchauffez le four à 180 °C (th. 6). Préparez la béchamel : dans une casserole, faites fondre le beurre. Saupoudrez de farine et remuez avec une cuillère en bois jusqu'à l'obtention d'un « roux » (le mélange doit se colorer). Alors, versez le lait et incorporez les jaunes d'œufs préalablement battus. Portez l'ensemble à ébullition sans cesser de mélanger. Baissez le feu, assaisonnez (sel, poivre et muscade) et laissez la sauce épaissir pendant 10 minutes sans cesser de remuer. Incorporez alors le fromage râpé.

3. Mélangez les 3/4 de la béchamel avec le jambon et les champignons. Goûtez et rectifiez l'assaisonnement. Garnissez vos crêpes de ce mélange.

4. Huilez un plat à gratin de 15 cm de large environ. Déposez-y les crêpes côte à côte, nappez du reste de béchamel et enfournez pour 20 minutes environ.
Servez bien chaud et accompagné d'une salade verte.

variante

Vous pouvez remplacer le jambon par du saumon cuit, coupé en morceaux.

truc de cuisinier

Au moment de la préparation de la béchamel, si, malgré tous vos efforts, des grumeaux subsistent dans votre sauce, passez cette dernière au mixeur plongeant.

Crêpes pommes de terre, bacon, reblochon

bon marché • facile à réaliser • préparation : 10 min • cuisson : 25 min • pour 6 personnes

1 planche à découper
1 couteau bien aiguisé
1 casserole
1 grande poêle
1 spatule

6 crêpes de froment salées (voir recette p. 5)
12 petites pommes de terre
12 tranches de bacon
6 oignons frais
200 g de reblochon
100 g de beurre
sel
poivre

1 Portez une casserole d'eau à ébullition et faites-y cuire les pommes de terre. Égouttez-les, pelez-les et coupez-les en morceaux. Pelez les oignons et hachez-les. Coupez les tranches de bacon en lanières. Retirez la croûte du fromage et coupez-le en lamelles.

2 Posez la poêle sur feu moyen et faites-y fondre un peu de beurre.

3 Dépliez la galette et déposez-la dans la poêle. Disposez dessus quelques lanières de bacon. Comptez 2 minutes de cuisson, puis faites fondre quelques lamelles de fromage, et ajoutez les morceaux de pommes de terre et un peu d'oignons hachés. Salez légèrement et poivrez selon votre goût. Comptez 3 minutes de cuisson avant de replier les bords de la galette vers le centre. Utilisez la spatule pour retourner la galette dans la poêle, puis prolongez la cuisson 3 minutes encore.

4 Servez immédiatement avec quelques feuilles de salade. Répétez l'opération pour les autres galettes.

variante

À défaut de bacon, utilisez des lardons, que vous aurez pris soin de faire griller dans une poêle à part.

truc de cuisinier

Variez le temps de cuisson pour obtenir une crêpe plus ou moins croquante.

Galettes de sarrasin à la viande de bœuf hachée

bon marché • facile à réaliser • préparation : 10 min • cuisson : 35 min • pour 6 personnes

1 planche à découper
1 couteau bien aiguisé
1 râpe à fromage
1 grande poêle
1 spatule

6 galettes de sarrasin (voir recette p. 4)
6 steaks hachés frais
6 oignons frais
3 gros cornichons
200 g de cheddar
ketchup
500 g de beurre
sel
poivre

1. Pelez les oignons et coupez-les en rondelles. Émincez finement les cornichons. Râpez le cheddar.

2. Posez la poêle sur feu moyen et faites-y fondre un peu de beurre. Faites-y revenir les steacks des deux côtés. Retirez-les. Essuyez la poêle et faites-y fondre un peu de beurre à nouveau.

3. Dépliez la galette et déposez-la dans la poêle. Saupoudrez de fromage, laissez fondre, puis déposez un steak. Étalez-le sur la galette en l'écrasant avec la spatule. Salez légèrement et poivrez. Ajoutez les rondelles d'oignons et de cornichons. Comptez 3 minutes de cuisson avant de replier la galette. Utilisez la spatule pour retourner la galette dans la poêle, puis prolongez la cuisson 3 minutes encore.

4. Servez immédiatement avec du ketchup. Répétez l'opération pour les autres galettes.

variante

Pour apporter un peu de croquant, ajoutez en fin de cuisson quelques feuilles de laitue émincées à la garniture.

truc de cuisinier

Suivant l'épaisseur des steaks, et la cuisson que vous souhaitez obtenir, n'hésitez pas à laisser les galettes plus longtemps dans la poêle.

Galettes de sarrasin aux tomates cerises, concombre et anchois

coût moyen • assez facile à réaliser • préparation : 40 min • Cuisson : 35 min • Pour 6 personnes

1 planche à découper
1 couteau bien aiguisé
1 poêle - 1 spatule

6 galettes de sarrasin (voir recette p. 4)
24 tomates cerises
36 anchois au sel
1 concombre
4 oignons hachés
3 branches de basilic
100 g de beurre
sel - poivre

Nettoyez les anchois sous le robinet d'eau froide afin de bien les dessaler. Coupez les tomates cerises en deux. Pelez le concombre et coupez-le en lamelles. Lavez et ciselez le basilic.

Faites fondre du beurre dans une poêle posée sur feu moyen. Dépliez la galette et déposez-la dans la poêle. Ajoutez les ingrédients. Salez et poivrez. Quand l'ensemble vous semble suffisamment cuit, utilisez une spatule pour replier les bords de la galette.

Servez immédiatement. Répétez l'opération pour les autres galettes.

Galettes de sarrasin aux crevettes et à l'avocat

coût moyen • assez facile à réaliser • préparation : 40 min • Cuisson : 35 min • Pour 6 personnes

1 poêle - 1 sauteuse
1 couteau bien aiguisé
1 planche à découper

6 galettes de sarrasin (voir recette p. 4)
24 crevettes
3 oignons - sel
1 filet d'huile d'olive
3 avocats - 1 gousse d'ail hachée
3 branches de basilic
2 cm de gingembre

Versez l'huile au fond d'une sauteuse, faites-y revenir les crevettes avec l'ail, le gingembre et le basilic ciselé. Laissez-les refroidir et décortiquez-les. Conservez l'huile de cuisson.

Pelez les oignons et hachez-les. Ouvrez les avocats, dénoyautez-les et coupez-les en lamelles. Dans la sauteuse que vous avez utilisée pour la cuisson des crevettes (et dans la même huile), faites revenir les oignons pendant 5 minutes.

Garnissez vos crêpes des différents ingrédients préparés, ajoutez des lamelles d'avocats et repliez la galette. Dégustez tiède.

Galettes de sarrasin aux tomates cerises et à la mozzarella

bon marché • facile à réaliser • préparation : 10 min • cuisson : 30 min • pour 6 personnes

1 planche à découper
1 couteau bien aiguisé
1 grande poêle
1 spatule
1 panier à salade

6 galettes de sarrasin (voir recette p.4)
24 tomates cerises
200 g de mozzarella
100 g de roquette
de l'origan séché
100 g de beurre
sel
poivre

1 Découpez en deux les tomates cerises, et en petits cubes, la mozzarella. Lavez les feuilles de roquette et passez-les dans le panier à salade.

2 Posez la poêle sur feu moyen et faites-y fondre un peu de beurre.

3 Dépliez la galette et déposez-la dans la poêle. Disposez-y quelques cubes de mozzarella. Comptez 2 minutes de cuisson, puis ajoutez 8 moitiés de tomates cerises et un peu d'origan. Salez et poivrez. Comptez encore 3 minutes de cuisson, puis ajoutez quelques feuilles de roquette, juste avant de replier la galette en demi-cercle. À l'aide de la spatule écrasez la galette légèrement.

4 Servez immédiatement. Répétez l'opération pour les autres galettes.

variante

Si vous le souhaitez, ajoutez quelques lamelles de jambon cru.

truc de cuisinier

Il est important d'ajouter les feuilles de roquette au dernier moment. Elles conserveront ainsi tout leur croquant.

Galettes de sarrasin poivron confit, jambon cru, lamelles d'oussau-iraty

bon marché • facile à réaliser • préparation : 10 min • cuisson : 25 min • pour 6 personnes

1 planche à découper
1 couteau bien aiguisé
1 râpe à fromage
1 grande poêle
1 spatule

6 galettes de sarrasin (voir recette p. 4)

150 g de lamelles de poivrons confits en bocal

12 fines tranches de jambon cru

200 g d'oussau-iraty

100 g de beurre

sel

poivre

1. Découpez le jambon en lanières et râpez le fromage. Ouvrez le bocal de poivrons. Égouttez-les et émincez-les.
2. Posez la poêle sur feu moyen et faites-y fondre un peu de beurre.
3. Dépliez la galette et déposez-la dans la poêle. Saupoudrez de fromage, laissez fondre, puis ajoutez quelques lanières de jambon et quelques morceaux de poivrons. Salez et poivrez. Comptez encore 3 minutes de cuisson, puis utilisez une spatule pour replier les bords de la galette vers le centre afin d'obtenir un joli rectangle.
4. Servez immédiatement. Répétez l'opération pour les autres galettes.

variante

Vous pouvez remplacer l'oussau-iraty par du fromage râpé de votre choix.

truc de cuisinier

Variez le temps de cuisson pour obtenir une crêpe plus ou moins croquante.

Galettes de sarrasin au saumon fumé

bon marché • facile à réaliser • préparation : 10 min • cuisson : 25 min • pour 6 personnes

1 planche à découper
1 couteau bien aiguisé
1 grande poêle
1 spatule

6 galettes de sarrasin (voir recette p. 4)

6 larges tranches de saumon fumé assez épaisses

6 brins d'aneth

50 g d'œufs de saumon

150 g de fromage frais de type Saint-Morêt

100 g de crème fraîche

100 g de beurre

sel - poivre

1 Découpez les tranches de saumon en lanières et ciselez l'aneth.

2 Posez la poêle sur feu moyen et faites-y fondre un peu de beurre.

3 Dépliez la galette et déposez-la dans la poêle. Étalez un peu de fromage, puis disposez quelques lanières de saumon. Salez légèrement et poivrez. Juste avant de replier la galette, ajoutez une cuillerée de crème fraîche et quelques œufs de saumon.

4 Servez immédiatement. Répétez l'opération pour les autres galettes.

variante

N'hésitez pas à remplacer l'aneth par une autre sorte d'herbe ciselée.

truc de cuisinier

Vous pouvez ajouter la crème fraîche, non pas en fin de cuisson, mais au moment de servir.

Crêpes salées aux pommes fruits, gouda et poulet au curry

bon marché • facile à réaliser • préparation : 10 min • cuisson : 25 min • pour 6 personnes

1 couteau Économe
1 planche à découper
1 sauteuse - 1 râpe à fromage
1 couteau bien aiguisé
1 grande poêle - 1 spatule

6 crêpes de froment salées (voir recette p. 5)
200 g de blanc de poulet
3 pommes - 100 g de mâche
le jus d'un citron
2 cuil. à soupe de curry en poudre - 200 g de gouda - 100 g de beurre - huile d'olive - sel - poivre

Découpez les blancs de poulet en lanières. Pelez les pommes et coupez-les en cubes. Citronnez-les. Salez et poivrez les morceaux de poulet et faites-les revenir dans un peu d'huile d'olive. Râpez le gouda. Lavez la mâche et essorez-la.

Dans une sauteuse, versez l'huile d'olive et faites-y revenir les morceaux de poulet. Saupoudrez-les de curry, salez-les et poivrez-les. Retirez du feu quand les morceaux sont bien dorés.

Faites fondre du beurre dans une poêle posée sur feu moyen. Dépliez une crêpe et déposez-la dans la poêle. Saupoudrez de fromage, laissez fondre, puis ajoutez le reste des ingrédients. Salez et poivrez. Quand l'ensemble vous semble suffisamment cuit, utilisez une spatule pour replier les bords de la crêpe.

Servez immédiatement. Répétez l'opération pour les autres crêpes.

Cannellonis de crêpes, aux épinards et à la ricotta

bon marché • assez facile à réaliser • préparation : 30 min • cuisson : 50 min • pour 6 personnes

1 casserole - 1 couteau
1 planche à découper
1 saladier - 1 cocotte
1 plat à gratin

12 crêpes de froment salées (voir recette p. 5)
1,5 kg d'épinards
300 g de ricotta - 2 œufs
200 g de parmesan râpé
250 g de purée de tomates
12 feuilles de basilic
15 cl d'huile d'olive
sel - poivre

Lavez les feuilles d'épinards, essorez-les et faites-les cuire à sec, à feu très doux et à couvert dans une grande casserole, pendant 10 minutes. Salez légèrement. Égouttez-les, essorez-les entre vos mains (attendez qu'ils refroidissent pour cela) et hachez-les grossièrement au couteau. Déposez-les dans un saladier avec la ricotta, l'œuf entier et la moitié du parmesan râpé. Salez et poivrez. Garnissez les crêpes de cette préparation et roulez-les.

Préchauffez le four à 180 °C (th. 6). Dans une cocotte posée sur feu moyen, versez la moitié de l'huile d'olive, la purée de tomates et les feuilles de basilic ciselées. Salez, poivrez et laissez mijoter 10 minutes.

Huilez un plat à gratin de 15 cm de large environ. Déposez-y les crêpes côte à côte, nappez de sauce, saupoudrez de parmesan et terminez par un filet d'huile d'olive. Enfournez pour 20 minutes environ.

Servez bien chaud, accompagné d'une salade verte.

Crêpes au lait de soja aux crevettes et au poulet

coût moyen • assez facile à réaliser • préparation : 40 min • cuisson : 35 min • pour 6 personnes

1 planche à découper
1 couteau bien aiguisé
1 sauteuse

6 crêpes au lait de soja (voir recette p. 4)
12 grosses crevettes
1 filet d'huile d'arachide
2 escalopes de poulet
1 gousse d'ail hachée
3 oignons hachés
1 bouquet de menthe
150 g de germes de soja frais
sel

1 Versez l'huile au fond d'une sauteuse, faites-y revenir les crevettes avec l'ail haché pendant 3 minutes de chaque côté. Laissez-les refroidir et décortiquez-les. Conservez l'huile de cuisson.

2 Émincez les escalopes de poulet en lanières. Pelez les oignons et hachez-les. Lavez la menthe et ciselez-la. Lavez le soja et essuyez-le dans un torchon propre.

3 Dans la sauteuse que vous avez utilisée pour la cuisson des crevettes, et dans la même huile, faites revenir les oignons pendant 5 minutes, puis ajoutez le poulet. Faites-le bien dorer pendant 10 minutes. Salez et laissez tiédir.

4 Garnissez vos crêpes de crevettes, de poulet, de soja et de menthe ciselée. Repliez-les. Dégustez tiède.

variante

Vous pouvez remplacer la menthe par de la coriandre fraîche.

truc de cuisinier

Au moment de la cuisson des crêpes, ne les laissez pas trop longtemps dans la poêle, afin qu'elles ne deviennent pas cassantes au moment de les rouler.

Galettes de sarrasin aux lamelles de fond d'artichaut, miettes de crabe et menthe ciselée

coût moyen • facile à réaliser • préparation : 15 min • cuisson : 30 min • pour 6 personnes

1 planche à découper
1 couteau bien aiguisé
1 grande poêle
1 spatule

6 galettes de sarrasin (voir recette p. 4)
1 botte d'oignons nouveaux
12 fonds d'artichauts frais ou surgelés
le jus d'1/2 citron
200 g de chair de crabe
1 bouquet de menthe ciselée
200 g de feta
100 g de beurre
sel - poivre

1 Portez une casserole d'eau salée et citronnée à ébullition et faites-y cuire les fonds d'artichauts pendant 20 minutes. Égouttez-les, laissez-les refroidir et émincez-les. Coupez la feta en 6 morceaux égaux.

2 Posez la poêle sur feu moyen et faites-y fondre un peu de beurre.

3 Dépliez la galette et déposez-la dans la poêle. Saupoudrez de feta émiettée. Comptez 1 minute de cuisson, puis ajoutez un fond d'artichaut coupé en lamelles, un peu de chair de crabe et de la menthe. Salez et poivrez. Comptez encore 3 minutes de cuisson, puis pliez la galette.

4 Servez immédiatement. Répétez l'opération pour les autres galettes.

variante

Vous pouvez également garnir vos crêpes, les rouler très serré et les faire colorer dans du beurre, avant de les servir coupées en tronçons.

truc de cuisinier

Si vous utilisez des artichauts frais, arrachez à la main les queues, puis retirez les feuilles les plus externes. Utilisez un grand couteau pour couper les feuilles à 2 cm de la base environ (en fait : au plus près du cœur de l'artichaut). Puis avec un petit couteau, dégagez les fonds. Nettoyez-les bien avant de procéder à la cuisson.

Crêpes au magret fumé, zeste d'orange, fromage de chèvre

bon marché • facile à réaliser • préparation : 10 min • cuisson : 25 min • pour 6 personnes

1 zesteur - 1 planche à découper
1 couteau bien aiguisé
1 grande poêle - 1 spatule

6 galettes de sarrasin (voir recette p. 4)

200 g de magret de canard fumé et tranché

2 oranges non traitées

200 g de fromage de chèvre frais - 100 g de beurre

sel - poivre

À l'aide d'un zesteur, prélevez le zeste des fruits. Coupez le fromage en morceaux.

Posez une poêle sur feu moyen et faites-y fondre un peu de beurre.

Dépliez la galette et déposez-la dans la poêle. Garnissez-la de morceaux de fromage, de magret fumé et de zestes d'orange. Salez légèrement et poivrez. Comptez 3 minutes de cuisson, puis repliez la galette.

Servez immédiatement. Répétez l'opération pour les autres galettes.

Crêpes aux boulettes de bœuf, fromage frais, oignons et laitue

bon marché • facile à réaliser • préparation : 10 min • cuisson : 35 min • pour 6 personnes

1 saladier - 1 planche à découper
1 couteau bien aiguisé
1 grande poêle - 1 spatule

6 galettes de sarrasin (voir recette p. 4)

500 g de viande de bœuf hachée

1 bouquet de coriandre ciselée

1 cuil. à café de cumin

200 g de ricotta

4 oignons hachés

quelques feuilles de laitue ciselées

500 g de beurre - sel - poivre

Dans un saladier, mélangez la viande, le cumin, les oignons et la coriandre. Salez et poivrez. Prélevez un peu de ce mélange et façonnez entre vos doigts 3 demi-douzaines de boulettes de la taille d'une balle de golf.

Posez une poêle sur feu moyen et faites-y fondre un peu de beurre afin d'y faire dorer les boulettes pendant 10 minutes. Retirez les boulettes. Ajoutez un peu de beurre dans la poêle à nouveau. Dépliez la crêpe et déposez-la dans la poêle. Ajoutez un peu de fromage frais, 3 boulettes et un peu de laitue.

Salez légèrement et poivrez. Comptez 3 minutes de cuisson, puis repliez la crêpe en forme de demi-cercle.

Servez immédiatement. Répétez l'opération pour les autres crêpes.

Crêpes à l'agneau, coriandre, carottes râpées, raisins secs, amandes

bon marché • facile à réaliser • préparation : 10 min • cuisson : 25 min • pour 6 personnes

1 sauteuse - 1 couteau Économe
1 râpe à légumes - 1 planche à découper
1 couteau bien aiguisé
1 grande poêle - 1 spatule

6 crêpes de froment salées (voir recette p. 5)
200 g d'épaule d'agneau coupée en cubes - 200 g de carottes râpées
100 g de raisins secs
100 g d'amandes effilées
1 bouquet de coriandre ciselée
100 g de beurre - huile d'olive
sel - poivre - 1 pincée de cumin

Versez un filet d'huile d'olive dans une sauteuse et faites-y revenir les morceaux de viande de tous côtés avec le cumin.

Pelez les carottes et râpez-les.

Posez une poêle sur feu moyen et faites-y fondre un peu de beurre.

Dépliez une crêpe et déposez-la dans la poêle. Garnissez-la de morceaux de viande, de carottes râpées, de raisins secs, d'amandes effilées et de coriandre ciselée. Salez et poivrez. Comptez 3 minutes de cuisson, puis repliez la crêpe. Servez immédiatement. Répétez l'opération pour les autres crêpes.

Crêpes au bœuf émincé et aux cacahuètes

coût moyen • facile à réaliser • préparation : 15 min • cuisson : 20 min • pour 6 personnes

1 planche à découper
1 couteau - 2 poêles

6 crêpes au lait de coco
600 g de rumsteak coupé en cubes de 2 cm de côté
1 concombre - huile d'arachide
1 bouquet de coriandre

Pour la sauce :
1 oignon haché - 2 cuil. à soupe de sauce de soja
15 cl de crème de coco
130 g de beurre de cacahuètes

Coupez la viande en fines lamelles. Préparez la sauce : dans une poêle ou un faitout, faites chauffer un filet d'huile, faites-y fondre doucement l'oignon haché. Comptez 5 minutes de cuisson, puis ajoutez la sauce soja, la crème de coco et le beurre de cacahuètes. Prolongez la cuisson doucement pendant une dizaine de minutes.

Faites chauffer un filet d'huile dans une poêle. Faites sauter les lamelles de viande 2 minutes de chaque côté.

Lavez le concombre, pelez-le et coupez-le en bâtonnets.

Garnissez vos crêpes des différents ingrédients préparés et repliez-les Dégustez tiède.

Galettes de sarrasin aux rillettes de thon

coût moyen • facile à réaliser • préparation : 15 min • cuisson : 5 min • pour 6 personnes

1 planche à découper
1 couteau bien aiguisé
1 hachoir électrique
1 saladier
1 grande poêle
1 spatule

6 galettes de sarrasin (voir recette p. 4)

1 botte d'oignons nouveaux

200 g de thon au naturel

200 g de fromage frais (de type Saint-Morêt)

4 branches d'estragon frais

40 g de beurre

sel

poivre

1. Pelez les oignons et passez-les au hachoir électrique avec les feuilles d'estragon. Dans un saladier, rassemblez le thon, le fromage, l'oignon et l'estragon. Mélangez bien à la fourchette. Salez et poivrez.

2. Garnissez vos galettes de ce mélange et roulez-les serré.

3. Posez la poêle sur feu moyen et faites-y fondre le beurre. Déposez les galettes dans la poêle et faites-les dorer de tout côté.

4. Découpez les galettes en tronçons et servez-les au moment de l'apéritif ou en entrée avec une salade verte.

variante

N'hésitez pas à remplacer le thon par des filets de sardine en boîte.

truc de cuisinier

Si vous en avez le temps, une fois vos crêpes roulées, enveloppez-les bien serré dans du film alimentaire et glissez-les au réfrigérateur pendant 1 heure environ.

Terrine de crêpes à la compote de pommes

bon marché • assez facile à réaliser • préparation : 20 min • cuisson : 30 min • réfrigération : 4 h • pour 6 personnes

1 bol
1 casserole
1 fouet
1 couteau
1 poêle
1 moule à cake

6 crêpes à la farine de froment (voir recette p. 5)
600 g de bonne compote de pommes
5 feuilles de gélatine
4 pommes golden
50 g de beurre
100 g de sucre
4 cuil. à soupe de rhum

1. Faites ramollir les feuilles de gélatine dans un bol d'eau froide. Essorez-les. Versez le rhum dans une casserole et faites-le chauffer avec la gélatine. Quand la gélatine est dissoute, versez le rhum dans la compote. Fouettez vivement l'ensemble.

2. Pelez les pommes et coupez-les en cubes. Faites fondre le beurre dans une poêle, avec le sucre, et faites-y dorer les cubes de pommes. Retirez-les du feu. Ajoutez les cubes de pommes à la compote.

3. Découpez vos crêpes à la taille du moule à cake. Au fond du moule, déposez une crêpe, garnissez d'une couche de compote, puis ajoutez une crêpe, de la compote, et ainsi de suite jusqu'à épuisement des ingrédients.
Filmez le moule à cake et glissez au frais pour 4 heures au moins.

4. Démoulez le cake, découpez-le en tranches et servez sur assiettes individuelles.

variante

Vous pouvez ajouter à cette recette des raisins secs macérés dans du rhum. Incorporez-les dans la compote avec les morceaux de pommes.

truc de cuisinier

Dégustez avec une boule de glace à la cannelle.

Crêpes au caramel au beurre salé

bon marché • assez facile à réaliser • préparation : 20 min • cuisson : 15 min • pour 6 personnes

1 casserole
1 poêle

6 crêpes de froment sucrées (voir recette p. 5)
125 g de beurre salé
250 g de sucre
30 cl de crème fleurette
100 g d'amandes

1 Dans une casserole posée sur feu doux, faites fondre le beurre et le sucre. Patientez jusqu'à ce que le sucre commence à colorer, puis versez la crème fleurette et retirez du feu. Mélangez bien.

2 Concassez les amandes et faites-les griller à sec (c'est-à-dire sans matière grasse) dans une poêle à revêtement antiadhésif, pendant 1 minute.

3 Garnissez vos crêpes de caramel chaud et d'amandes grillées.

4 Dégustez sans attendre, avec une boule de glace au chocolat.

variante

Vous pouvez remplacer les amandes par des noisettes et la glace chocolat par de la glace à la vanille.

truc de cuisinier

Pour concasser les amandes, vous pouvez les rassembler dans le bol du mixeur et mixez par à-coup, afin de ne pas obtenir de la poudre.

Crêpes aux pommes et au pain d'épices

bon marché • assez facile à réaliser • préparation : 20 min • cuisson : 30 min • repos de la pâte : 1 h • pour 6 personnes

1 saladier - 1 jatte
1 poêle - 1 casserole
1 sauteuse
1 fouet - 1 couteau

Pour les crêpes :

180 g de farine

15 cl de crème fraîche liquide UHT

30 cl de lait

1 grosse pincée d'épices à pain d'épices (mélange vendu dans les épiceries fines)

1 cuil. à soupe d'huile

1 pincée de sel - 3 œufs

1 cuil. à soupe de sucre en poudre

45 g de beurre fondu

Pour la garniture :

75 cl de lait - 90 g de farine

90 g de sucre - 3 œufs

3 pomme golden

6 tranches de bon pain d'épices artisanal

45 g de beurre

1 Préparez les crêpes. Une heure avant, versez dans un saladier la crème, l'huile et le lait. Fouettez l'ensemble. Dans une jatte, mélangez la farine, le sel, les épices et le sucre, puis creusez un puits. Ajoutez les œufs battus et la préparation liquide petit à petit. Mélangez bien afin d'obtenir une pâte sans grumeaux.
Dans une poêle posée sur feu vif, versez un peu de beurre fondu, puis une louche de pâte qui va en recouvrir le fond. Laissez la crêpe cuire 2 ou 3 minutes, puis retournez-la et faites-la cuire autant de l'autre côté. Réalisez vos autres crêpes de la même manière.

2 Préparez la garniture. Versez le lait dans une casserole et portez-le à ébullition. Pendant ce temps, mélangez les œufs et le sucre dans un saladier pendant 2 minutes à l'aide d'un fouet. Versez la farine et mélangez encore jusqu'à l'obtention d'un mélange homogène.
Versez alors le lait dans le saladier, sans cesser de mélanger. Remettez le mélange dans la casserole et laissez épaissir à feu moyen, sans cesser de tourner, ce qui prendra 5 minutes. Retirez du feu et laissez refroidir.

3 Pelez les pommes et coupez-les en cubes. Coupez les tranches de pain d'épices en dés. Faites fondre le beurre dans une sauteuse et faites-y dorer les cubes de pommes et les croûtons de pain d'épices.

4 Garnissez vos crêpes du mélange refroidi, ajoutez les cubes de pommes et les croûtons de pain d'épices. Roulez vos crêpes et dégustez-les sans attendre.

variante

En saison, remplacez les pommes par des mirabelles.

truc de cuisinier

Si des grumeaux subsistent dans votre préparation, passez-la au mixeur plongeant.

Cigares de crêpe aux amandes, cuits au four

bon marché • assez facile à réaliser • préparation : 15 min • cuisson : 20 min • pour 6 personnes

1 mixeur
1 couteau

12 larges crêpes de froment sucrées (voir recette p. 5)

250 g d'amandes en poudre

150 g de sucre en poudre

2 cuil. à soupe d'eau de fleur d'oranger

30 g de beurre

1 jaune d'œuf

1 Préchauffez le four à 180 °C (th. 6). Dans le bol du robot, rassemblez la poudre d'amandes, le sucre, l'eau de fleur d'oranger, le jaune d'œuf et le beurre. Mixez longuement.

2 Découpez en deux les crêpes. Vous devez donc obtenir 18 moitiés en forme de demi-cercle. Prenez l'une de ces moitiés et repliez la partie arrondie vers l'autre extrémité. Vous devez obtenir une bande.

3 Prélevez un peu de farce. Roulez-la en forme de cylindre. Déposez ce cylindre au bout des bandes de pâte et roulez-les en forme de cigare. Collez la crêpe au blanc d'œuf.

4 Déposez les cigares sur la plaque du four recouverte de papier sulfurisé. Enfournez pour 15 à 20 minutes environ.

variante

Vous pouvez remplacer les amandes en poudre par des noisettes longuement mixées.

truc de cuisinier

N'hésitez pas à rectifier l'assaisonnement de la vinaigrette avec le jus d'un citron vert.

Crêpes crème fouettée aux marrons et éclats de marrons glacés

bon marché • facile à réaliser • préparation : 15 min • cuisson : 10 min • pour 6 personnes

1 saladier
1 fouet électrique
1 couteau

6 crêpes de froment sucrées (voir recette p. 5)

25 cl de crème fleurette

100 g de crème de marrons

6 marrons glacés

Concassez les marrons glacés en morceaux.

Versez la crème fleurette (elle doit être bien froide) dans un saladier et fouettez-la jusqu'à ce que vous obteniez une consistance proche de la chantilly. Sans cesser de fouetter, incorporez la crème de marrons, cuillerée après cuillerée.

Garnissez vos crêpes de ce mélange. Ajoutez quelques miettes de marrons.

Dégustez-les sans attendre.

Crêpes au sucre de canne et à la noix de coco

bon marché • facile à réaliser • préparation : 15 min • cuisson : 30 min • pour 6 personnes

1 poêle
1 couteau

6 larges crêpes de froment sucrées (voir recette p. 5)

6 cuil. à soupe de noix de coco hachée

100 g de beurre

6 cuil. à soupe de sirop de sucre de canne

Dans une poêle posée sur feu moyen, faites fondre un peu de beurre. Dépliez une crêpe et déposez-la dans la poêle. Garnissez-la de noix de coco hachée et de sirop de sucre de canne. Comptez 2 à 3 minutes de cuisson, puis repliez les bords de la crêpe vers le centre afin de lui donner une forme rectangulaire. Retournez la crêpe et faites-la cuire 2 minutes de l'autre côté.

Servez immédiatement avec une boule de sorbet à la mangue. Répétez l'opération pour les autres crêpes.

Crêpes lait de coco, bananes et pâte à tartiner chocolat noisettes

bon marché • facile à réaliser • préparation : 15 min • cuisson : 5 min • pour 6 personnes

1 poêle
1 couteau

6 crêpes au lait de coco (voir recette p. 4)

3 bananes

6 cuil. à soupe de Nutella

100 g d'amandes effilées

50 g de beurre

2 cuil. à soupe de sucre en poudre

1. Pelez les bananes et coupez-les en rondelles.
2. Posez une poêle sur feu moyen et faites-y fondre le beurre. Faites revenir les rondelles de bananes pendant 5 minutes après les avoir saupoudrées de sucre en poudre.
3. Garnissez vos crêpes de Nutella, de rondelles de bananes et d'amandes effilées.
4. Roulez-les en forme de gros cigare et dégustez-les sans attendre.

variante

Pour apporter un peu de fraîcheur, ajoutez un peu de menthe fraîche à votre garniture.

truc de cuisinier

Faites colorer à sec et dans une poêle les amandes effilées, pendant 1 minute environ.

Crêpes aux bonbons à la fraise

bon marché • facile à réaliser • préparation : 15 min • cuisson : 15 min • pour 6 personnes

1 mixeur
1 couteau

6 larges crêpes de froment sucrées (voir recette p. 5)

100 g de beurre mou

100 g de poudre d'amandes

50 g de sucre

150 g de bonbons à la fraise

1 œuf

1. Préchauffez le four à 180 °C (th. 6). Rassemblez dans le bol du robot le beurre, la poudre d'amandes, le sucre, l'œuf et la moitié des fraises.

2. Garnissez vos crêpes de ce mélange. Ajoutez quelques fraises Tagada entières et roulez les crêpes en forme de cigare. Déposez-les sur la plaque du four recouverte de papier sulfurisé.

3. Enfournez pour 15 minutes environ.

4. Dégustez chaud.

variante

En saison, ajoutez quelques morceaux de vraies fraises à votre garniture.

truc de cuisinier

Vous pouvez également préparer vos bouchées sous forme de samossa (voir pliage page 70).

Crêpes suzette

bon marché • assez facile à réaliser • préparation : 15 min • cuisson : 5 min • pour 6 personnes

1 zesteur
1 presse-agrume
1 casserole
1 pinceau
1 plat allant au four

6 larges crêpes de froment sucrées (voir p. 5)

1 orange non traitée

50 g de sucre en poudre

150 g de beurre (+ un peu pour le plat)

3 cuil. à soupe de Grand Marnier

2 cuil. à soupe de cognac

1. Prélevez le zeste de l'orange, puis pressez-la afin d'en recueillir le jus.

2. Préchauffez le four à 150 °C (th. 5). Posez une casserole sur feu doux et faites-y chauffer le jus de l'orange avec le sucre, le beurre et les zestes. Retirez du feu quand le beurre est fondu.

3. Utilisez un pinceau de cuisine pour badigeonner largement chacune de vos crêpes du mélange ainsi préparé. Pliez-les en quatre et déposez-les côte à côte (elles peuvent toutefois se chevaucher) dans un plat à four beurré. Glissez-les au four pour 5 minutes environ.

4. Une minute avant de servir, faites chauffer les alcools dans une petite casserole et versez-les sur le plat sans oublier de faire flamber.

variante

Pour cette recette, vous pouvez utiliser des crêpes au lait de coco (voir recette p. 4).

truc de cuisinier

Pour le flambage, installez le plat sur le bord de la table (et non au centre), ou mieux, sur une desserte. Vous aurez alors pris soin de faire chauffer l'alcool de flambage dans une petite casserole, à une température inférieure à 50 °C, afin d'éviter l'évaporation de l'alcool. Tenez fermement la casserole au-dessus du plat, puis approchez une allumette. Une fois l'alcool enflammé, versez-le délicatement sur le plat et laissez la flamme mourir naturellement avant de procéder au service.

Crêpes aux abricots, au romarin et aux amandes

bon marché • facile à réaliser • préparation : 15 min • cuisson : 10 min • pour 6 personnes

1 poêle
1 couteau
1 petit hachoir à herbes

6 crêpes de froment sucrées (voir recette p. 5)
500 g d'abricots
6 brins de romarin
100 g d'amandes effilées
50 g de beurre
3 cuil. à soupe de miel

Lavez les abricots, ouvrez-les en deux, dénoyautez-les et coupez-les en dés. Lavez le romarin, effeuillez-le et hachez-le.

Posez une poêle sur feu moyen et faites-y fondre le beurre. Faites revenir les morceaux de fruits pendant 5 à 10 minutes avec le romarin haché, après les avoir nappés de miel.

Garnissez vos crêpes de ce mélange. Saupoudrez d'amandes effilées.

Repliez-les et dégustez-les sans attendre.

Crêpes aux abricots et à la lavande

bon marché • facile à réaliser • préparation : 15 min • cuisson : 30 min • pour 6 personnes

2 poêles
1 couteau

6 crêpes de froment sucrées (voir recette p. 5)
500 g d'abricots
6 brins de lavande
150 g de beurre
3 cuil. à soupe de miel

Lavez les abricots, ouvrez-les en deux, dénoyautez-les et coupez-les en dés. Lavez la lavande et laissez-la sécher.

Posez une poêle sur feu moyen et faites-y fondre 50 g de beurre. Faites revenir les morceaux de fruits pendant 5 à 10 minutes, après les avoir nappés de miel.

Faites fondre du beurre dans une seconde poêle posée sur feu moyen. Dépliez la crêpe et déposez-la dans la poêle. Garnissez d'un peu de dés d'abricots et de lavande effeuillée. Comptez 2 à 3 minutes de cuisson, puis repliez la crêpe en forme de demi-cercle.

Servez immédiatement avec une boule de glace à la vanille. Répétez l'opération pour les autres crêpes.

Crêpes aux dés de poires caramélisés et au gingembre

bon marché • facile à réaliser • préparation : 15 min • cuisson : 20 min • pour 6 personnes

2 poêles
1 couteau
1 couteau Économe
1 râpe
1 spatule

6 grandes crêpes de froment sucrées (voir recette p. 5)

6 poires

6 cuil. de sucre en poudre

150 g de beurre

2 cm de racine de gingembre frais

1. Pelez les poires. Ouvrez-les en deux. Épépinez-les et coupez chacune des moitiés en dés. Râpez le gingembre.

2. Posez une poêle sur feu moyen et faites-y fondre 50 g de beurre. Faites revenir les dés de poires pendant 5 à 10 minutes après les avoir saupoudrés de gingembre râpé et de sucre en poudre.

3. Faites fondre du beurre dans une poêle posée sur feu moyen. Dépliez la crêpe et déposez-la dans la poêle. Ajoutez les dés de fruits. Quand l'ensemble vous semble suffisamment chaud, utilisez une spatule pour replier les bords de la crêpe, vers le centre.

4. Servez immédiatement. Préparez le reste des crêpes de la même manière.

variante

Vous pouvez ajoutez à cette recette une pincée de cannelle moulue.

truc de cuisinier

Variez le temps de cuisson pour obtenir une crêpe plus ou moins croquante.

Crêpes aux pommes, à la cannelle, aux raisins secs et aux noix

bon marché • facile à réaliser • préparation : 15 min • cuisson : 25 min • pour 6 personnes

2 poêles
1 couteau
1 couteau Économe

6 grandes crêpes de froment sucrées (voir recette p. 5)
6 pommes golden
6 cuil. de sucre en poudre
150 g de beurre
100 g de raisins secs
100 g de cerneau de noix
5 cl de rhum

1. Pelez les pommes. Ouvrez-les en deux. Épépinez-les et coupez chacune des moitiés en dés.

2. Posez une poêle sur feu moyen et faites-y fondre 50 g de beurre. Faites revenir les dés de pommes pendant 5 à 10 minutes après les avoir saupoudrés de sucre. Ajoutez les raisins secs et les noix et arrosez de rhum. Laissez le rhum s'évaporer avant de retirer du feu.

3. Faites fondre du beurre dans une poêle posée sur feu moyen. Dépliez la crêpe et déposez-la dans la poêle. Garnissez d'un peu du mélange précédent. Comptez 3 minutes de cuisson, puis repliez la crêpe en forme de demi-cercle.

4. Servez immédiatement. Répétez l'opération pour les autres crêpes.

variante

Pour apporter un peu de fraîcheur à votre garniture, ajoutez un peu de menthe fraîche ciselée.

truc de cuisinier

Dégustez avec une boule de glace rhum/raisin.

Crêpes d'ananas aux épices

bon marché • facile à réaliser • préparation : 15 min • cuisson : 25 min • pour 6 personnes

2 poêles
1 couteau
1 planche à découper

6 grandes crêpes au lait de coco (voir recette p. 4)
1 petit ananas
6 cuil. de sucre en poudre
150 g de beurre
1 cuil. à soupe de mélange quatre-épices

1. Pelez l'ananas et découpez-le en cubes.
2. Posez une poêle sur feu moyen et faites-y fondre 50 g de beurre. Faites revenir les cubes d'ananas pendant 5 à 10 minutes, après les avoir saupoudrés de sucre et de quatre-épices.
3. Faites fondre du beurre dans une poêle posée sur feu moyen. Dépliez la crêpe et déposez-la dans la poêle. Garnissez d'un peu de cubes d'ananas. Comptez 2 à 3 minutes de cuisson, puis repliez la crêpe en forme de demi-cercle.
4. Servez immédiatement. Répétez l'opération pour les autres crêpes.

variante

Ajoutez à votre recette quelques croûtons de pain d'épices grillé.

truc de cuisinier

Dégustez avec une boule de glace à la noix de coco.

Crêpes au mascarpone et aux fruits rouges

bon marché • facile à réaliser • préparation : 15 min • cuisson : 10 min • pour 6 personnes

1 saladier
1 fouet électrique
1 couteau

6 crêpes de froment sucrées (voir recette p. 5)
10 cl de crème fleurette
100 g de mascarpone
300 g de fruits rouges mélangés (framboises, fraises, cerises, groseilles, cassis, mûres...)
3 cuil. à soupe de sirop de grenadine

Lavez les fruits, équeutez-les ou dénoyautez-les si nécessaire et coupez les plus gros en morceaux.

Versez la crème fleurette (elle doit être bien froide) dans un saladier et fouettez-la jusqu'à ce que vous obteniez une consistance proche de la chantilly. Sans cesser de fouetter, incorporez le mascarpone, cuillerée après cuillerée. Puis incorporez le sirop de grenadine.

Garnissez vos crêpes de ce mélange. Ajoutez les fruits.

Repliez-les et dégustez-les sans attendre.

Crêpes à la rose, aux framboises et aux macarons

bon marché • facile à réaliser • préparation : 30 min • cuisson : 10 min • pour 6 personnes

1 casserole
1 saladier
1 fouet

6 crêpes de froment sucrées au lait d'amande (voir recettes p. 5)
75 cl de lait
1 cuil. à café d'eau de rose
90 g de farine
90 g de sucre
3 œufs
48 framboises
12 macarons à la framboise

Versez le lait dans une casserole et portez-le à ébullition. Pendant ce temps, mélangez les œufs et le sucre dans un saladier pendant 2 minutes à l'aide d'un fouet. Versez la farine et mélangez encore jusqu'à l'obtention d'un mélange homogène.

Versez alors le lait dans le saladier, sans cesser de mélanger, puis incorporez l'eau de rose. Si des grumeaux subsistent dans votre préparation, passez-la au mixeur plongeant. Remettez le mélange dans la casserole et laissez épaissir à feu moyen, sans cesser de tourner, ce qui prendra 5 minutes. Retirez du feu et laissez refroidir.

Garnissez vos crêpes de ce mélange, ajoutez quelques framboises fraîches et des macarons émiettés. Repliez vos crêpez et dégustez-les sans attendre.

Crêpes à la crème pâtissière, aux fraises et au basilic

bon marché • facile à réaliser • préparation : 25 min • cuisson : 10 min • pour 6 personnes

1 jatte
1 fouet
1 couteau
1 casserole

6 crêpes de froment sucrées (voir recette p. 5)
500 g de fraises
quelques feuilles de basilic ciselées

Pour la crème pâtissière :
3 jaunes d'œufs
50 g de sucre
1 bouquet de basilic
40 g de farine
25 cl de lait

1 Préparez la crème pâtissière : dans une jatte, fouettez les jaunes d'œufs avec le sucre et la farine. Dans une casserole, faites bouillir le lait avec le bouquet de basilic. Retirez le bouquet de basilic et, hors du feu, versez dans le lait encore bouillant le mélange précédent.

2 Mélangez bien à l'aide d'un fouet, puis remettez sur feu très doux, et faites cuire pendant 5 minutes sans cesser de mélanger. Réservez et laissez tiédir.

3 Lavez les fraises, équeutez-les et coupez-les en morceaux. Incorporez-les dans la crème avec le basilic ciselé.

4 Garnissez vos crêpes de ce mélange et dégustez sans attendre.

variante

Vous pouvez remplacer le basilic par de la menthe.

truc de cuisinier

Si en mélangeant votre crème pâtissière, malgré tous les soins que vous y avez apportés, vous obtenez des grumeaux, passez-la au mixeur plongeant.

Crêpes ganache et éclats de noisettes

bon marché • facile à réaliser • préparation : 25 min • cuisson : 5 min • pour 6 personnes

1 saladier
1 cuillère en bois
1 casserole

6 crêpes de froment sucrées (voir recette p. 5)

Pour la ganache :

200 g de chocolat noir pâtissier de bonne qualité

125 g de crème fleurette

50 g de beurre

100 g de noisettes entières

1 Préparez la ganache : cassez le chocolat en morceaux dans un saladier résistant à la chaleur et faites-le fondre au bain-marie en posant le saladier sur une casserole d'eau frémissante, sans que le fond touche l'eau. Lorsque les 3/4 du chocolat sont fondus, retirez le saladier de la casserole, puis remuez avec une cuillère en bois jusqu'à ce que le mélange soit lisse.

2 Par ailleurs, versez la crème dans une casserole et portez-la à ébullition. Mélangez-la avec le chocolat, puis incorporez le beurre en parcelles.

3 Concassez grossièrement les noisettes.

4 Garnissez vos crêpes de ganache et de noisettes concassées. Dégustez sans attendre.

variante

Vous pouvez remplacer les noisettes par des amandes.

truc de cuisinier

Pour concasser les noisettes, vous pouvez les rassembler dans le bol du mixeur et mixer par à-coup, afin de ne pas obtenir de la poudre.

Samossas de crêpe aux fruits rouges

bon marché • facile à réaliser • préparation : 30 min • cuisson : 30 min • pour 6 personnes

1 couteau

9 larges crêpes de froment sucrées (voir recette p. 5)

500 g de fruits rouges mélangés (fraises, framboises, groseilles, mûres, etc.)

1 cuil. à soupe de cassonade

1. Préchauffez le four à 180 °C (th. 6). Préparez les fruits en les lavant, en les équeutant, en les dénoyautant, en les égrenant ou en les coupant en morceaux, si nécessaire...

2. Découpez en deux les crêpes. Vous devez donc obtenir 18 moitiés en forme de demi-cercle. Prenez l'une de ces moitiés et repliez la partie arrondie vers l'autre extrémité. Vous devez obtenir une bande. Garnissez-la d'un peu de fruits avant de la replier en forme de samossa.

3. Déposez votre samossa sur la plaque du four préalablement recouverte de papier sulfurisé.

4. Renouvelez l'opération jusqu'à épuisement des ingrédients. Enfournez pour 25 à 30 minutes environ. Servez bien chaud avec une boule de glace à la vanille.

variante

N'hésitez pas à varier les plaisirs en utilisant les fruits que vous voulez.

truc de cuisinier

Pour réaliser les samossas, garnissez l'extrémité de vos bandes de crêpe d'une cuillerée de fruits et repliez l'ensemble en forme de triangle. Vous allez peut-être « tâtonner », mais quand on a le coup de main, c'est assez facile.

Crêpes aux lamelles de mangues et au sirop d'érable

bon marché • facile à réaliser • préparation : 15 min • cuisson : 30 min • pour 6 personnes

2 poêles
1 couteau

6 crêpes de froment sucrées au lait de coco (voir recette p.5)

3 mangues

150 g de beurre

3 cuil. à soupe de sirop d'érable

Ouvrez les mangues, dénoyautez-les et coupez-les en lamelles.

Posez une poêle sur feu moyen et faites-y fondre 50 g de beurre. Faites-y revenir les morceaux de fruits pendant 5 à 10 minutes, après les avoir nappés de sirop.

Faites fondre du beurre dans une seconde poêle posée sur feu moyen. Dépliez la crêpe et déposez-la dans la poêle. Garnissez de quelques lamelles de mangues. Comptez 2 à 3 minutes de cuisson, puis repliez la crêpe.

Servez immédiatement avec une boule de glace à la noix de coco. Répétez l'opération pour les autres crêpes.

Crêpes fraises et kiwis

bon marché • facile à réaliser • préparation : 15 min • cuisson : 10 min • pour 6 personnes

1 poêle
1 couteau

6 crêpes de froment sucrées (voir recette p. 5)

4 kiwis

500 g de fraises

50 g de beurre

6 cuil. à soupe de cassonade

Pelez les kiwis et coupez leur chair en dés. Lavez les fraises, équeutez-les et coupez-les en morceaux.

Posez une poêle sur feu moyen et faites-y fondre le beurre. Faites-y revenir les morceaux de fruits pendant 5 à 10 minutes après les avoir saupoudrés de cassonade.

Garnissez vos crêpes de ce mélange.

Repliez-les et dégustez-les sans attendre.

Aumônières aux fruits exotiques

bon marché • facile à réaliser • préparation : 30 min • cuisson : 15 min • pour 6 personnes

1 couteau
1 planche à découper

12 crêpes de froment sucrées (voir recette p. 5)
1/2 ananas
2 bananes
2 oranges
1 papaye
2 mangues

1 Préchauffez le four à 180 °C (th. 6).

2 Pelez le demi-ananas, les bananes et les oranges en retirant la petite peau blanche qui entoure chaque quartier. Ouvrez les mangues et dénoyautez-les. Ouvrez la papaye et épépinez-la. Coupez tous ces fruits en petits dés.

3 Garnissez vos crêpes de fruits et repliez-les en forme d'aumônières. Maintenez-les fermées à l'aide de petites piques en bois.

4 Déposez-les sur la plaque du four préalablement recouverte de papier sulfurisé, et enfournez pour 15 minutes environ. Servez bien chaud avec une boule de glace à la noix de coco.

variante

N'hésitez pas à varier les plaisirs en utilisant les fruits que vous voulez.

truc de cuisinier

La cuisson va permettre d'assécher les crêpes et de les rendre plus ou moins croustillantes. Prolongez-la plus ou moins longtemps, suivant la texture que vous désirez obtenir.

Crêpes à la crème de citron vert

bon marché • assez facile à réaliser • préparation : 20 min • cuisson : 20 min • pour 6 personnes

1 zesteur
1 saladier
1 casserole

6 larges crêpes de froment sucrées (voir recette p. 5)

4 jaunes d'œufs

120 g de beurre

4 citrons verts non traités

60 g de sucre

1 Prélevez le zeste d'un citron vert bien lavé. Pressez les citrons verts afin d'en recueillir le jus. Dans un saladier, mélangez les jaunes d'œufs avec le sucre, le zeste et le jus des citrons.

2 Versez la préparation dans un saladier résistant à la chaleur et posez-le sur une casserole d'eau frémissante, sans que le fond touche l'eau. Faites cuire ainsi et doucement pendant 20 minutes en tournant.

3 Quand le mélange est bien épais, incorporez le beurre morceau par morceau en fouettant vivement. Laissez tiédir.

4 Garnissez vos crêpes de cette préparation, ajoutez des zestes et dégustez sans attendre.

variante

Vous pouvez remplacer les citrons verts par des clémentines.

truc de cuisinier

Dégustez avec une boule de sorbet au citron vert.

Crêpes aux framboises meringuées

bon marché • assez facile à réaliser • préparation : 25 min • cuisson : 10 min • pour 6 personnes

1 jatte
1 fouet
1 casserole

6 crêpes de froment sucrées (voir recette p. 5)
500 g de framboises
2 grosses meringues

Pour la crème pâtissière :
3 jaunes d'œufs
50 g de sucre
1 gousse de vanille
40 g de farine
25 cl de lait

1. Préparez la crème pâtissière : dans une jatte, fouettez les jaunes d'œufs avec le sucre et la farine. Dans une casserole, faites bouillir le lait avec la gousse de vanille fendue en deux et bien grattée. Retirez du feu, et versez dans le lait encore bouillant le mélange précédent.

2. Mélangez bien à l'aide d'un fouet, puis remettez sur feu très doux, et faites cuire pendant 5 minutes sans cesser de mélanger. Réservez et laissez tiédir.

3. Concassez les meringues finement. Incorporez-les dans la crème avec les framboises.

4. Garnissez vos crêpes de ce mélange et dégustez sans attendre.

variante

Vous pouvez préparer cette recette avec d'autres sortes de fruits.

truc de cuisinier

Pour le plaisir des yeux, utiliser des meringues colorées.

Crêpes aux tranches de melon et sucre à la menthe

bon marché • facile à réaliser • préparation : 15 min • cuisson : 30 min • pour 6 personnes

1 poêle
1 couteau
1 mixeur

6 crêpes de froment sucrées au lait de coco (voir recette p. 5)
1 melon
100 g de beurre
6 cuil. à soupe de sucre
12 feuilles de menthe fraîche

Ouvrez le melon, retirez les pépins et coupez-le en fines tranches. Retirez l'écorce. Mixez longuement le sucre et les feuilles de menthe fraîche.

Faites fondre du beurre dans une poêle posée sur feu moyen. Dépliez l'une des crêpes et déposez-la dans la poêle. Garnissez-la de quelques lamelles de melon et saupoudrez-la de sucre à la menthe. Comptez 2 à 3 minutes de cuisson, puis repliez la crêpe en forme de demi-cercle.

Dégustez sans attendre. Répétez l'opération pour les autres crêpes.

Crêpes aux pruneaux et aux fruits secs

bon marché • facile à réaliser • préparation : 30 min • cuisson : 10 min • pour 6 personnes

1 saladier
1 casserole
1 couteau
1 fouet

6 crêpes de froment sucrées (voir recettes p. 5)
75 cl de lait
1 cuil. à soupe de rhum
90 g de farine
90 g g de sucre
3 œufs
24 pruneaux
30 g de pistaches
30 g d'amandes
30 g de noisettes

Si nécessaire, dénoyautez les pruneaux et coupez-les en petits morceaux. Concassez également au couteau les pistaches, les amandes et les noisettes.

Versez le lait et l'alcool dans une casserole et portez-les à ébullition. Pendant ce temps, mélangez les œufs et le sucre dans un saladier pendant 2 minutes à l'aide d'un fouet. Versez la farine et mélangez encore jusqu'à l'obtention d'un mélange homogène.

Versez alors le lait dans le saladier, sans cesser de mélanger. Si des grumeaux subsistent dans votre préparation, passez-la au mixeur plongeant. Remettez le mélange dans la casserole et laissez épaissir à feu moyen, sans cesser de tourner, ce qui prendra 5 minutes. Retirez du feu et laissez refroidir.

Garnissez vos crêpes de ce mélange, ajoutez pruneaux et fruits secs. Repliez-le vos crêpes et dégustez-les sans attendre.

Crêpes aux cerises et au fromage blanc

bon marché • assez facile à réaliser • préparation : 15 min • cuisson : 5 min • pour 6 personnes

1 dénoyauteur de cerises
2 saladiers
1 casserole
1 fouet électrique
1 poêle

6 crêpes au lait d'amande sucré (voir recette p. 5)
300 g de cerises
3 feuilles de gélatine
300 g de fromage blanc
25 cl de crème fleurette très froide
75 g de sucre glace
50 g de beurre
3 cuil. à soupe de sucre

1 Lavez les cerises et dénoyautez-les. Coupez-les en deux. Dans un bol d'eau froide, faites tremper les feuilles de gélatine afin qu'elles se ramollissent. Dans une petite casserole, versez l'équivalent de 3 cuillerées à soupe de crème fleurette et faites-la chauffer doucement. Incorporez-y les feuilles de gélatine égouttées. Retirez du feu quand les feuilles sont dissoutes.

2 Dans un saladier, versez le fromage blanc et ajoutez le contenu de la casserole avec le sucre glace. Mélangez bien. Dans un autre saladier, versez la crème fleurette et fouettez-la quelques minutes afin de lui donner une texture très ferme. Mélangez-la avec la préparation au fromage blanc et fouettez l'ensemble quelques minutes encore.

3 Posez une poêle sur feu moyen et faites-y fondre le beurre. Faites revenir les cerises pendant 5 minutes après les avoir saupoudrées de sucre en poudre.

4 Garnissez vos crêpes de fromage blanc fouetté et de cerises poêlées. Roulez-les en forme de gros cigare et dégustez-les sans attendre.

variantes

Ajoutez à votre garniture des amandes entières, rapidement colorées à la poêle. Hors saison, vous pouvez remplacer les cerises par des griottes en conserve.

truc de cuisinier

Dégustez avec une boule de glace aux amandes.

Crêpes à la frangipane et aux fruits rouges

bon marché • assez facile à réaliser • préparation : 20 min • cuisson : 30 min • pour 6 personnes

1 saladier
2 poêles
1 cuillère en bois

6 crêpes au lait d'amande sucré (voir recette p. 5)

300 g de fruits rouges (framboises, fraises, groseilles)

150 g de beurre

3 cuil. à soupe de sucre

Pour la frangipane :

2 cuil. à soupe de sucre en poudre

20 g de beurre

1 jaune d'œuf

2 cuil. à soupe de poudre d'amandes

1 verre à liqueur de rhum

1. Préparez la frangipane : dans un saladier, rassemblez tous les ingrédients et mélangez-les du bout des doigts jusqu'à ce que vous obteniez une préparation homogène.
Lavez les fruits, équeutez-les, et coupez-les en morceaux si nécessaire.

2. Posez une poêle sur feu moyen et faites-y fondre 50 g de beurre. Faites-y revenir les fruits pendant 5 minutes après les avoir saupoudrés de frangipane (que vous émietterez entre vos doigts). Mélangez bien à l'aide d'une cuillère en bois.

3. Faites fondre du beurre dans une seconde poêle posée sur feu moyen. Dépliez la crêpe et déposez-la dans la poêle. Garnissez d'un peu de frangipane et de fruits rouges. Comptez 2 à 3 minutes de cuisson, puis repliez la crêpe en forme de demi-cercle.

4. Servez immédiatement. Répétez l'opération pour les autres crêpes.

variante

Pour une saveur différente, vous pouvez remplacer la poudre d'amandes par de la poudre de noisettes.

truc de cuisinier

Dégustez avec une boule de glace à la vanille.

Crêpes aux kiwis et aux agrumes

bon marché • assez facile à réaliser • préparation : 15 min • cuisson : 10 min • pour 6 personnes

Une poêle
Un couteau

6 crêpes de froment sucrées (voir recette page 5)
3 kiwis
3 clémentines
3 oranges
50 g de beurre
6 cuil. à soupe de sucre en poudre

1 Pelez les kiwis et coupez leur chair en dés. Pelez à vif (en retirant la petite peau blanche qui entoure chacun des quartiers de fruits) les oranges et les clémentines.

2 Posez une poêle sur feu moyen et faites-y fondre le beurre. Faites-y revenir les morceaux de fruits pendant 5 à 10 min. après les avoir saupoudrer de sucre en poudre.

3 Garnissez vos crêpes ce mélange.

4 Repliez-les et dégustez-les sans attendre.

variante

Ajoutez une pincée de cannelle dans la poêle au moment de la cuisson des fruits.

truc de cuisinier

Dégustez avec une boule de sorbet aux agrumes.

Index des recettes

Crêpes salées

Crêpes sucrées

Infos mesures

	1 cuil. à café rase	1 cuil. à soupe rase
Farine	5 g	15 g
Sucre	6 g	20 g
Liqueur	0,5 cl ou un trait	1 cl
F cule	5 g	15 g
Vin/eau	0,5 cl	1 cl